Había una vez una diabetes

Eugenia Araiza Marín
Mariana Gómez Hoyos

Ilustraciones
Alejandra Macouzet

BARKER & JULES®

BARKER ❷ JULES

Había una vez una diabetes

Edición: Barker & Jules Books™
Diseño de Portada: Juan José Hernández Lázaro | Barker & Jules Books™
Diseño de Interiores: Juan José Hernández Lázaro | Barker & Jules Books™

Primera edición - 2021
D. R.© 2021, Eugenia Araiza Marín | Mariana Gómez Hoyos
Ilustraciones
Alejandra Macouzet

I.S.B.N. | 978-1-64789-407-8
I.S.B.N. eBook | 978-1-64789-408-5

BARKER & JULES, LLC
2248 Meridian Blvd. Ste. H, Minden, NV 89423
barkerandjules.com

Para Índigo

Porque monstruos habrán, pero siempre existirá un por qué y un para qué. Solo tienes que observar.

Eugenia

Para Jorge

Porque para ser héroe se necesita una historia y contigo, esta es la más grandiosa.

Mariana

Para Ti, papá o mamá:

En el mundo de la diabetes, muchas personas están acostumbradas a pensar en su condición de vida como algo inseparable. A pesar de que muchos eligen no ser definidos por etiquetas o por la condición de vida, otros siguen pensándola como inseparable. El diagnóstico de una condición de vida como la diabetes tipo 1, muchas veces no solo se percibe como un reto que impulse y motive, sino uno que, con frecuencia, puede ir acompañado de incertidumbre.

Aunque cada vez se hace más énfasis en lo importante que es la salud emocional, lo cierto es que muchas veces leer la teoría no siempre nos ayuda a encontrar formas para aplicarla en nuestra vida diaria. Existe no una, sino muchas y diferentes formas de cuidar de la salud emocional y no uno, sino cientos de expertos en salud emocional, cada uno con su escuela, teoría y prácticas favoritas. Lo cierto es que muchos hemos encontrado útil una combinación de enfoques resultantes en una metodología moldeada para las necesidades de nuestros consultantes, siempre únicas, como individuos únicos que somos.

Como padres, pensamos en mantener a nuestros hijos lejos de la preocupación y la tristeza y algunas veces, somos exitosos. Cuando llega una enfermedad a nuestra casa y a nuestra familia, la forma en la que hagamos frente al diagnóstico, la forma en la que actuemos y la forma en la que nos expresemos, tendrá mucho impacto.

Pero ¡estoy harto de la diabetes, ya no la quiero! Lo comprendemos, ninguno la quiere, pero aprendemos a convivir con ella como una parte de nosotros.

Trabajamos este pequeño libro como apoyo a tus esfuerzos de autocuidado y los de tu familia. Los niños perciben la diabetes de formas distintas, pero también se enfrentan a la complejidad de una condición para la que nos convertimos, muchas veces, en malabaristas y superhéroes.

Hoy queremos compartirte un cuento para grandes y chicos, donde abordaremos este hartazgo y cansancio ocasional de la diabetes, así como algunas ideas para que pronto, tu narrativa, sea perfecta para ti y tu vida.

Eugenia y Mariana

Tienes diabetes

Un día, me desperté y me informaron que vivía con una cosa llamada "diabetes tipo 1". La verdad es que me sentía bastante mal y no puse demasiada atención pero, cuando definitivamente escuché, fue cuando dijeron "inyectar insulina" y por supuesto que fue cuando me llevé el susto de la vida.

Digo, no tengo ningún amigo al que le gusten las inyecciones y de hecho, en más de una ocasión escuché que las mamás de algunos de ellos aplicaban frases como "si no te acabas esa sopa de verduras, vamos a tener que inyectarte".

Madre mía, con tal de que no fuera ese mi destino, yo me comía todas y cada una de esas verduras cuando iba a sus casas de visita.

Signos y síntomas de alerta de la diabetes tipo 1:

Sed excesiva, hambre excesiva, ganas constantes de ir al baño, cansancio extremo, pérdida de peso inexplicable, letargo.

Pero bueno, ahí estaba yo, recuperándome de mi visita hospitalaria cuando me avisaron - "tienes diabetes". Pensé que me darían un par de medicinas, o me quitarían algo. Imaginé que lo más grave sería que fuera algo tipo anginas o apendicitis, que era lo que a algunos amigos les había pasado durante el ciclo escolar y que, según me platicaban, no había sido tan malo. Algunos de mis amigos hasta habían podido comer helado todos los días en el hospital.

Pensé que me iría rápidamente a casa sin esta enfermedad conmigo. Poco a poco fui entendiendo que esto era para siempre y que ahora era otra persona.

Poco sabía yo sobre la diabetes, desconocía lo que era, lo que significaba. Hablaban de inyecciones, pero no sabía cada cuánto tiempo o cuándo y qué era lo que me tenía que inyectar. Sinceramente, no comprendía bien por qué tenía que hacerlo.

Me mostraron unas jeringas y practiqué en una naranja. "¿Qué tiene que ver una naranja conmigo y con todo esto?", pensé más de una vez. Me explicaron que era porque hacerlo con una naranja era muy parecido a cómo se siente cuando inyectas insulina. Estoy seguro de que a la naranja no le duele el pinchazo.

Poco a poco fui entendiendo que esto era para siempre. Me sentí incluso como si ahora fuera otra persona.

Mis papás se veían muy preocupados y aunque no me lo dijeron, yo lo notaba. Mi mamá tuvo algún tiempo esa sonrisa que le sale cuando quiere llorar y se aguanta, pero la nariz roja la delata siempre. No, no tenía gripa. Mi papá, por otro lado, no dejaba el teléfono e iba de un lado al otro del pasillo hablando con alguien. Eso solo lo he visto cuando algo anda mal en su trabajo.

Sí, los niños observamos todo. No comprender bien qué es lo que estaba pasando, escuchar a todos decir que todo iba a estar bien y por otro lado ver a mis papás nerviosos, tristes y angustiados, me dejaba pensando en que quizá no todo estaba tan bien como yo creía. Pensé algún tiempo que era mejor idea demostrar que estaba bien y que no pasaba nada. No sé bien cómo explicarlo porque sentía como si todas mis emociones estuvieran enredadas dentro de mi."Ojalá mis papás me dijeran lo que pasa, tal vez podríamos solucionarlo en equipo. Creo que tengo que ser fuerte para que mis papás también tengan fuerza." pensé más de una vez.

> **De acuerdo con Amparo Calandín, "las emociones y sentimientos son una imprescindible fuente de información":**
>
> Nos guían, nos ayudan a dar sentido a lo que pasa a nuestro alrededor, a entendernos a nosotros mismos a relacionarnos con los demás y nos motivan para alcanzar objetivos, provocar cambios, evitar situaciones dañinas o perseguir aquello que queremos.

Un día me desperté harto.

Al principio, te juro que colaboré. Aprendí a contar mis carbohidratos, aguanté la ganas de comprarme la cajita aquella amarilla con papitas fritas, medí mi glucosa, no una, sino cientos de miles de veces aguantando la respiración, me inyecté mi insulina unas veces llorando hasta hacerlo por mi propia cuenta, pero un día, desperté harto.

"¡Estoy harto de vivir con diabetes, no la quiero más!" Le dije a mi mamá. Debo confesarte que pensé que me daría un discurso de esos que dan las mamás cuando te aman e intentan hacerte cambiar de opinión. En su lugar, me miró y dijo algo como "qué más daría porque esto me hubiera dado a mi y no a ti" y lloró y lloró.

Ahora no solo estaba harto, estaba enojado conmigo por hacer llorar a mi mamá. "Que menso" pensé, pero seguí harto.

Lo que yo no sabía es que no solo me pasaba a mi. Yo pensé que vivir con diabetes era como ser marciano. La gente no se da cuenta de que eres marciano y tampoco se da cuenta cuando vives con diabetes. Son quizá muy pocos marcianos y parece que también son muy pocas personas las que viven con diabetes.

Además de toda esa lucha de emociones que sentía en mi estómago, había algo que era "la cereza del pastel" como dice mi mamá y era sentirme solo, único, diferente.

Al menos los marcianos se conocen y platican sobre cómo se sienten, pero yo no conocía a nadie que viviera con diabetes, al menos no como la mía, porque mi abuelito tiene diabetes pero no se tiene que inyectar.

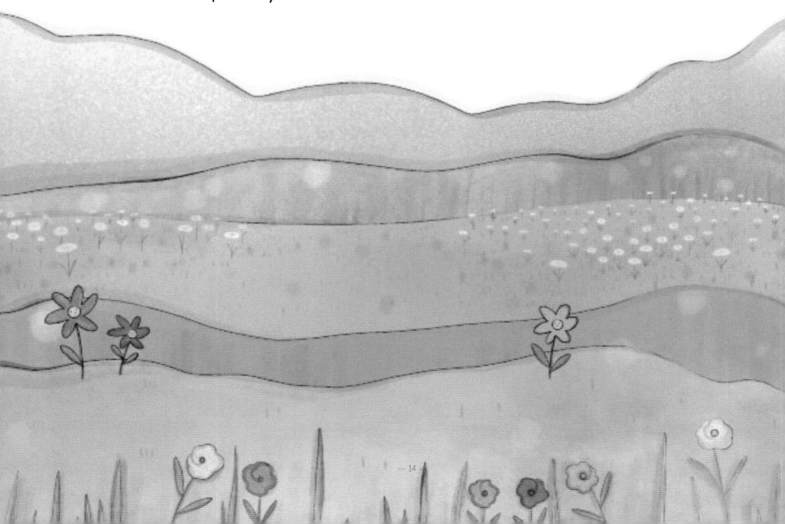

También pensé que solo a mi me caía gordo vivir con diabetes, pero me contaron que un doctor de nombre William escribió un libro que habla sobre sentirse "quemado" por la diabetes.

En su libro, William Polonsky explica que vivir con diabetes puede ser cansado y sobre todo muy estresante.

El burnout de la diabetes es un término para el estado de desilusión y muchas veces frustración después de esforzarse y hacer todo lo posible por manejar de forma adecuada la condición de vida. En una oración es "¡estoy harto!". El burnout se presenta cuando se pierde la fuerza para aguantar el estrés y se desatienden los intereses en la vida, los contactos con la familia y con otras personas.

La diabetes es algo así como un trabajo que nunca acaba, al que necesitas ponerle tu atención las 24 horas del día los 365 días del año. ¡Así cómo no va a cansarse uno!

Y aunque muchas veces hacemos todo lo que nos explicaron que teníamos que hacer, las cifras no parecen salir bien y entonces nos sentimos tristes, molestos y frustrados.

Si alguna vez te ha pasado como a mi y pensaste "ash, nada me sale bien, no puedo, me rindo, ya no quiero." quizá estés "quemado por la diabetes".

Lo bueno, es que ahora sabes cómo se llama eso que sientes y que no eres el único. Es solamente algo que pasa. Y aunque no son momentos muy agradables, hay algunas cosas que puedes aprender de ello.

Cuando tu hijo exprese sentimientos de "burnout", ofrece validez. No anules su sentir ni su perspectiva.

"Tienes razón en sentirte así, lo que dices es cierto. Vivir con diabetes apesta, pero tenemos que hacer todo esto para cuidar de ti, porque te amamos"

Un garabato y una nueva versión de mi historia

Debes saber que al principio yo veía a la diabetes como un monstruo. Qué digo, peor que un monstruo, era como un garabato. Un garabato que me perseguía por todos lados.

Día y noche me perseguía. Estaba entre mi cuchara y mi boca cuando comía cereal, entre el patio del recreo y mi lunch, entre mis palomitas y mi medidor, en todos lados. Me hacía enojar porque me estorbaba. Un garabato espantoso.

Entonces, en uno de esos momentos en los que tu maestro está explicando algo súper aburrido y tu compañero de banca solo quiere platicar de Minecraft, me puse a pensar.

Son esos momentos cuando tu cerebro se va, se va, se fue y piensas..."¿qué fue lo más sorprendente que hice hoy? ¿quién sería yo si estuviera contándole mi historia a alguien?, ¿cómo podría yo ser el héroe de este cuento?".

Pensé entonces en todas mis virtudes. Soy valiente, soy decidido, soy chistoso y soy buen amigo. Soy muchas cosas buenas. Si me siento quemado, pensar en las cosas buenas que soy y que encuentro aún en los momentos complicados es una de mis técnicas favoritas.

Una nueva versión de la historia:

Siempre habrá otras historias que pueden crearse a partir de los acontecimientos de nuestra vida.

Digamos que te sientes harto, súper harto, de que tu glucosa jamás está en la cifra que tiene que estar luego de comer.

¿Por qué no me funciona nada y la glucosa no es la que yo esperaba? Sepa la bola. Luego un día la cifra no parecía tan fuera de rango. ¿Qué hice ese día que fue diferente? ¿Qué me hizo sentir mejor? ¿Cuándo logré sentirme bien a pesar de que el número no era el que esperaría mi equipo de profesionales de la salud?

Gorzki y yo

Un día pensé en ponerle un nombre a esta diabetes. Y, tengo que recomendarte intentar ponerle un nombre a la tuya. Mi diabetes en ese momento se convirtió en "Gorzki" y fue entonces cuando tuve mi primer momento ¡ajá!.

Me di cuenta que el problema ¡no era yo!

Era Gorzki y su relación complicada con ciertos alimentos. En otras ocasiones, era la información incompleta en la etiqueta. Otras veces

era que se había doblado mi cánula de infusión. Otras veces era que Gorzki y el estrés de mis exámenes de plano no se llevan nada bien. Vaya, era una relación tremendamente complicada. Yo no era el problema, el problema era algo externo a mi y que seguramente yo podría trabajar.

Me di cuenta de que había otras alternativas en mi historia. Por ejemplo, mi mamá siempre me ayuda a preparar mi comida y contar los carbohidratos que hay en ella para calcular la insulina que necesito ponerme. Es más, ella hasta me ayuda a encontrar aplicaciones que puedo usar en su teléfono para ayudarme a hacer descubrimientos.

> **Decidir nombrar al problema y verlo como algo separado a nosotros. Delimitar los efectos que tiene el problema en diferentes cosas de mi vida.**

Encontrar tu motivación

Fue entonces que ¡baaam! me di cuenta de que había también acontecimientos extraordinarios en mi historia.

Por ejemplo, una vez quería ir a una fiesta de cumpleaños, pero sabía que habría un pastel y ¡no cualquier pastel ! el mejor de todos los pasteles, tan delicioso que hasta sueñas con él. Yo no sé tú, pero yo no puedo siempre resistirme a una deliciosa rebanada de pastel.

Así que brinqué y brinqué en el trampolín hasta que mi glucosa bajó lo suficiente como para poder servirme una rebanada muy adecuada de ese maravilloso pastel. Al final, no me quedé con el antojo, no me enojé, ni me sentí mal y mi mamá no se preocupó, ¡fue simplemente per-fec-to!. Cuando llegué a casa me sentía bien conmigo y decidí hacerme una lista.

Mi lista:

- ¿Cómo conseguí salir vencedor en esta situación?
- ¿Cómo logré enfrentarme a Gorzki y alcanzar mi objetivo?

• ¿Qué era lo que pasaba por mi mente y tuve que repetir para darme la fuerza para enfrentar a Gorzki?

• ¿Cuál fue mi motivación para mantener mi meta en mente?

Tuve una motivación y la mantenía en mente repitiéndola para que no se me olvidara. Habrá sido eso lo que me mantuvo siempre atento y al pendiente de lo que quería lograr? Claro, ahora que lo pienso, seguramente esto es lo que pasó: sabía que en la fiesta estaría el pastel que tanto me gusta.

> Encontrar acontecimientos extraordinarios que no se parezcan a nuestra historia dominante. Este es el inicio de una nueva historia.

Lo tenía en mi mente y sabía que querría comer un poco, así que pensé en lo que tendría que hacer para lograrlo.

No fue tan complicado porque tan solo tenía que jugar en el brincolín un rato con mis amigos y así, Gorzki estaría tranquilo y podría comerme esa rebanada de delicioso pastel.

Así que, probablemente ahora te parecerá obvio igual que a mi, mi motivación fue el pastel ja, ja.

Nos reescribimos juntos

Al paso de un tiempo, me di cuenta de lo tremendamente complejo que era Gorzki pero, tengo que reconocer que, aunque de pronto se percibía como una sombra que no me permitía ver ni poquito la luz del sol, entendí que Gorzki no tenía que decidir cómo sería mi día, mucho menos mi vida.

Decidí que la historia que contaría de mi vida, sería una donde inevitablemente Gorzki apareciera, pero donde yo sería el personaje principal. Aprendimos a caminar juntos, vigilándonos y cuidándonos el uno al otro sin estorbar nuestro camino y creciendo juntos.

Unas ideas

Trabajando mi burnout

1. Aceptemos que nuestra glucosa cambia: No se trata de buscar siempre una línea recta. Quienes vivimos con diabetes sabemos que en ocasiones nuestra glucosa subirá sin causa aparente. Esto puede desanimarnos mucho. Si de vez en cuando tu glucosa decide no colaborar, intenta encontrar una causa. Si de plano no la encuentras, acuérdate que puede subir sin razón y mejor busca la manera de solucionarlo.

2. Si diste lo mejor de ti y de cualquier forma no funcionó. No siempre tendremos el éxito esperado. Si hicimos todo en nuestro poder y no funcionó, quizá sea momento de acercarnos con nuestro equipo y pedir ayuda. No hay fracasos, simplemente necesitamos ayuda y se vale pedirla.

3. Detente a pensar si ya has caído en el "burnout": Si sientes que estás muy harto y que ya hiciste todo lo humanamente posible para manejar tu diabetes de la mejor forma, entonces es tiempo de respirar profundo y relajarse. Es importante tomarnos el tiempo para analizar y expresar nuestras emociones. Sí, todas.

4. Platica con las personas cercanas a ti que saben que vives con diabetes y que parecen vigilar tu comportamiento todo el tiempo. Sabemos que lo hacen por nuestro bien pero, sentirnos vigilados agrega una capa adicional de estrés. Hazles saber que cuando necesites ayuda no dudarás en pedirla.

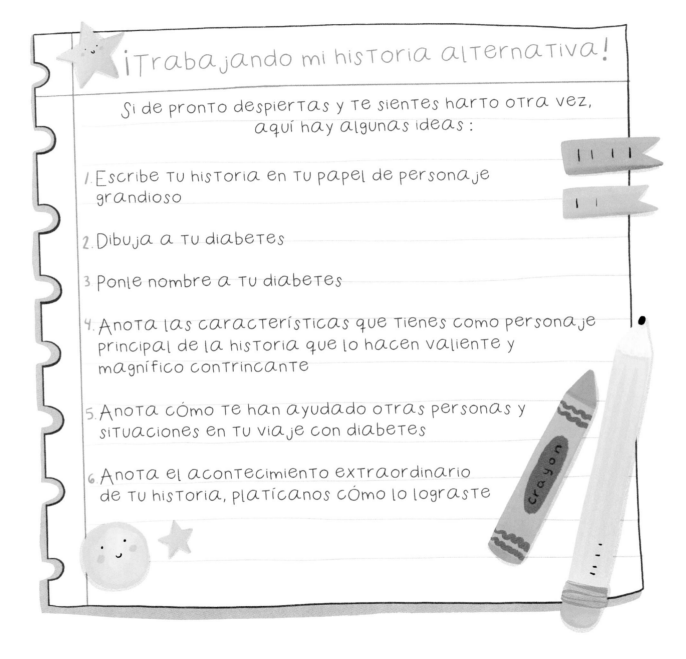

¡Trabajando mi historia alternativa!

Si de pronto despiertas y te sientes harto otra vez, aquí hay algunas ideas:

1. Escribe tu historia en tu papel de personaje grandioso

2. Dibuja a tu diabetes

3. Ponle nombre a tu diabetes

4. Anota las características que tienes como personaje principal de la historia que lo hacen valiente y magnífico contrincante

5. Anota cómo te han ayudado otras personas y situaciones en tu viaje con diabetes

6. Anota el acontecimiento extraordinario de tu historia, platícanos cómo lo lograste

Y colorín colorado...

Vivir con diabetes no es sencillo y existen muchas otras situaciones con las que también nos enfrentamos además de eso. Después de todo, somos personas y aunque así lo deseáramos, no estamos blindados ante todo lo que pasa en nuestro alrededor lo cual puede hacer más complicada la convivencia con nuestros propios Gorzki.

Sin embargo, saber que, a pesar de que estemos aprendiendo a relacionarnos con algo tan complicado que llegó a parecer un monstruo, todo esto en algún momento será menos difícil.

Tenemos que recordar que, conforme va pasando el tiempo, nos vamos haciendo más y más fuertes y vamos desarrollando estrategias y perfeccionando habilidades para usar cuando nuestro propio Gorzki no esté de humor para convivir pacíficamente y ser nuestro acompañante.

Debemos aprender y aceptar que no estamos solos en nuestro camino y que además de un Gorzki a nuestro lado, tenemos a nuestra familia, amigos, profesionales de la salud y otras personas con diabetes que aprenden a reescribir sus propias historias que podrán ayudarnos compartiendo cómo han librado una batalla parecida a la nuestra.

Llegará así un día en el que podamos reconocer que la diabetes no se va a ir, pero que tenemos siempre la oportunidad de una tregua, o muchas, para aprender de nuestra vida juntos. Quizá, algún día al igual que yo, puedas abrazar a tu monstruo.

Diploma

Se otorga este diploma a

_____

Como reconocimiento a su trabajo y
dedicación para manejar a

_____

(nombre de garabato o monstruo)

_____ ha logrado negociar un
tratado de paz con _____ (nombre de
garabato o monstruo) y han establecido un
proyecto de vida excepcional.

Firma:_____

Fecha:_____

Agradecimientos

Eugenia.

A Luis Felipe, porque al juntar nuestros monstruos nos hicimos más fuertes y grandes.

A Índigo por comprender y aprender a querer estos monstruos que no son tuyos.

A Mariana, por invitarme a crecer, aprender y a seguir creando.

A mis papás, por hacerme ver que, a veces, los monstruos nos ayudan a crecer.

Mariana.

A Jorge y Jorge Alfredo por acompañarme a reescribir mi historia en diferentes etapas de la vida. Gracias por ser valientes junto conmigo. A mis papás por ser coautores de mi historia alternativa.

A Eugenia por ser apoyo y amiga durante una pandemia y cientos de proyectos.

A la comunidad de diabetes, por ser apoyo, inspiración y aliados.

Agradecemos a Alejandra Macouzet por dar color a una historia y por ayudarnos a personificar una narrativa que podrá tener impacto en las historias alternativas de otros.

Gracias **Alejandra** por ilustrar nuestras palabras de una forma única.

Lecturas recomendadas para papás

1. Dra. Raquel Barrio Castellanos, et al, Lo que debes saber sobre la DIABETES en la edad pediátrica, 3ra edición Ed.Ministerio de Sanidad, Política Social e Igualdad (3ª Edición) 1 de noviembre, 2019

2. Olga Sanz Font, La Diabetes de mi Hijo Medtronic Ibérica S.A, 2014 (descarga gratuita en) https://www.fundaciondiabetes.org

Fuentes de consulta

1.Epston, D. 1992: 'A Proposal for Re-Authoring Therapy: Rose's revisioning of her life' in McNamee, S. & Gergen, K.J. (Eds), Therapy as a Social Construction. London: Sage Publications. Republished in Epston, D. 1998: Catching up with David Epston: A collection of Narrative Practice-based Papers. Adelaide: Dulwich Centre Publications. White, M. 1995a: 'The Narrative Perspective in Therapy' an interview by Bubenzer, D., West, J., & Boughner, S., In Re-Authoring Lives: Interviews and Essays, pp 11-40. Dulwich Centre Publications: Adelaide

2.La Importancia de Expresar tus Emociones. (2014, 4). Amparo Calandín Psicólogos. https://www.amparocalandinpsicologos.es/expresaremociones/

3.Morgan, A. (2004). What is narrative therapy? An eassy-to-read introduction. Adelaide, Australia: Dulwich Centre Publications.

4.White y Epston (1993). Medios Narrativos para fines terapéuticos. Barcelona: Paidós.

5.White, M. (2002). El enfoque narrativo en la experiencia de los terapeutas. Barcelona: Gedisa.

Este pequeño libro, escrito por Eugenia Araiza y Mariana Gómez, Educadoras en Diabetes, es un apoyo a los esfuerzos de autocuidado de las familias donde la diabetes tipo 1 forma parte del día a día. Los niños perciben la diabetes de formas distintas, pero también se enfrentan a la complejidad de una condición para la que nos convertimos, muchas veces, en malabaristas y superhéroes.

En este cuento para grandes y chicos se aborda el cansancio ocasional de la diabetes así como algunas ideas para que pronto, la narrativa, sea perfecta para la persona con diabetes tipo 1 y su vida. Tanto Eugenia como Mariana viven con diabetes tipo 1.

El manejo de la diabetes de cualquiera de sus tipos requiere que el individuo adquiera conocimientos que después logren traducirse en habilidades y destrezas para la vida. La educación en diabetes es la pieza que completa un rompecabezas difícil.

Diabetes and Co. es un esfuerzo pensado en proporcionar información que despierte a la búsqueda de conocimiento formal para la vida con diabetes tipo 1 al mismo tiempo que se resuelven dudas y se proporcionan herramientas para el manejo de esta condición.

Made in the USA
Monee, IL
08 November 2021